Por Philippe Corentin en *Editorial Corimbo*

¡Papá!
Señorita, sálvese quien pueda
¡Chaf!
El ogro, el lobo, la niña y el pastel
El África de Zigomar

A Matheo

Ronda del General Mitre 95, 08022 Barcelona
e-mail: corimbo@corimbo.es
www.corimbo.es
Traducción al español: Rafael Ros
1ª edición octubre 2005

Título de la edición original: «Machin Chouette»
Impreso en Francia por Mame Imprimeurs, Tours
ISBN: 84-8470-208-1

Philippe Corentin

FULANITO DE TAL

Corimbo

En casa, lo que más me gusta es que todo el mundo come en la misma mesa.
Hasta los animales.

Ese bobo de allí, el que tiene cara de perro y que acaban de pillar
con los codos encima de la mesa, lo han recogido de la calle.
El muy imbécil estaba perdido.

Si se ha perdido, no debe ser muy astuto.
De hecho, parece tan tonto que no me extrañaría
que lo hubieran abandonado.

Que nadie se equivoque, yo no tengo nada contra los perros.
Con sus grandes narices y su aire bonachón, generalmente son conmovedores y divertidos.

Pero este tiene el don de sacarme de quicio. En la mesa es un maleducado.
Se cree autorizado a sentarse en mi sitio. No he dicho nada.
Me ha molestado mucho, pero no he dicho nada.

Tampoco he dicho nada cuando, con sus sucias patas, se ha instalado
en la butaca verde del salón… ¡MI BUTACA!

Sin animo de molestar y sin querer ser tachado de racista, hay que admitir que el perro es un animal de cerebro pequeño. No es, sin duda alguna, tan inteligente como esos excepcionales seres que son los gatos. A los gatos los conozco bien. Tengo numerosos amigos, todos ellos admirables.

Pero nuestro perro (llamémosle Fulanito de Tal), a falta de inteligencia,
tiene el mérito de resultar entretenido. Hace todo lo que le dicen:
«¡Dame la pata! ¡Siéntate! ¡Ve a por la pelota!»
¡Qué gracioso! Bah, es completamente idiota.

Y, además, siempre está contento… excepto hace un rato. No sé lo que le ha entrado.
Le han pedido la sal, y se ha puesto a refunfuñar:
«¿Por qué tengo que ser siempre yo el que vaya a buscar la sal?
¿Por qué me toca siempre a mí hacerlo todo y el gato nunca hace nada?»

«¿Pero qué le pasa, amiguito?, cálmese.»
Tengo por costumbre hablar de usted a los perros. Sé que puede parecer algo distante, pero después de todo no comemos del mismo plato.
«No hablo contigo, gato», me ladra groseramente.

¡El gato soy yo! Se dirige a mí este palurdo.
A mí, que pronto cumpliré cinco años y que peso cuatro kilos doscientos.
Un gato normal, bueno, más que eso, muy guapo, simpático y todo lo demás…

Simpático, pero tampoco exageradamente.
No me dejo pisotear por el primer majadero que llega. Por tanto,
con firmeza pero sin perder la calma, lo pongo en su sitio.
«Óyeme bien, chaval (si él me tutea, yo también), si yo supiera ir a buscar la sal,
iría… ¿Eres bastante grande para entenderlo, no?

Como puedes comprender, si supiera ladrar y enseñar los dientes,
no dudaría un segundo en hacer de perro guardián.
Pero tampoco sé, qué le voy a hacer.

Como ser perro policía… el misterio, las pesquisas y todo eso.
Me hubiera encantado.
Pero sería ridículo, tú lo haces mucho mejor que yo.

Es bien simple, tú lo haces todo mucho mejor que yo.
¿A qué no me ves de perro pastor?... Se necesita un talento
que un simple gato no puede ni tan siquiera soñar poseer.

Puestos a escoger, preferiría ser un perro de trineo,
pero es lo mismo, cada uno a lo suyo.

Si por mí fuera, sería perro cazador. ¡Eso sí que me gustaría!
Pero en la vida uno no puede hacer todo lo que quiere.
Y además no tengo suerte, tú sabes hacerlo todo y yo no sé hacer nada.
No es justo.

Mira, por ejemplo, es como ser bueno. Hay que admitir
que tú eres el bueno; eres tú quien hace de bueno…
¡Oh! ¡Qué perro tan bueno!

Lo que yo hago mejor es dormir en la butaca verde del salón, por tanto soy yo quien duerme en la butaca verde del salón... ¿Está claro? ¿Lo ha comprendido el perrito bonito? Pues ala, a dormir a la manta.

¡No he dicho nada!... tranquilo... ¡Siéntate! ¡Túmbate! ¡Descansa!»

Pero es que me hubiera mordido el animal...
Quizás lo he alterado un poco, lo justo, pero sin llegar a ser descortés.
Es de constatar, bromas aparte, que el perro es un ser poco recomendable,
por no decir peligroso. No hace gracia, ninguna gracia...